BILD Dir Deinen Comic!

1   Asterix   R. Goscinny, A. Uderzo

2   Donald Duck   Disney

3   Lucky Luke   Morris – Goscinny

4   Micky Maus   Disney

5   Spirou + Fantasio   A. Franquin, Greg

6   Detektiv Conan   Aoyama Gosho

7   Nick Knatterton   Manfred Schmidt

8   Tim und Struppi   Hergé

9   Phantomias   Disney

10   Werner   Brösel

11   Fix & Foxi   Rolf Kauka

12   Popeye   Hy Eisman

Große Helden, endlich vereint.

Jede Woche ein neuer Held!
Einzeln oder alle 12 Bände im Abo günstiger bestellen:
0180 - 5 35 43 76 (0,12 €/Min.), unter
www.bildbibliothek.de oder im Buchhandel

HY EISMAN

HY EISMAN

POPEYE®

Weltbild

Spinat & Herz – Popeyes

Er ist Kult! Er ist Legende! Fast jeder kennt ihn. Aber kennen wir ihn wirklich?

»Popeye« – der Spinat-Matrose mit den Superkräften. In der Halle des Ruhms der Comic-Helden steht er neben Micky Maus, Asterix, Donald Duck, Lucky Luke & Co. – obwohl seine Comics aus unserem Alltagsbewußtsein fast verschwunden sind.

Was ist das Geheimnis der ewigen Faszination von Popeye?

→ Weil wir als Kinder alle so stark sein wollten wie Popeye (der angeblich 36 Tonnen Spinat verschluckt hat)?

→ Weil die Zeichnungen mit den kugelrunden Köpfen, den sexy Frauen und den detailverliebten Kulissen uns in die gute alte Zeit Amerikas zurückversetzen?

→ Oder weil Popeye der Prototyp des Individualisten ist, der seinen Weg geht – geleitet von Instinkten und seinem guten Herzen?

Drei Dinge braucht der Seemann: Feuer, Pfeife und Spinat.

In Popeye steckt die Abenteuerlust von Donald Duck, die Frechheit von Asterix und die Kraft von Superman – und im Mund die Pfeife von Nick Knatterton.

Wer Popeye lächelnd liest, versetzt sich zurück in die Gefühle unserer Kindheit.

Popeye-Comics sind ein fast vergessener Schatz! Denn Popeye wurde weltberühmt durch seine Trickfilm-Cartoons (ab 1933 in Schwarzweiß) – die am längsten laufende Cartoon-Serie aller Zeiten (24 Jahre).

Erfolgs-Geheimnis

Als Popeye letztes Jahr 75 wurde, färbte das New Yorker Empire State Building seine Beleuchtung spinatgrün!

Popeye war eigentlich eine Nebenfigur in dem Comic-Strip »Thimble Theatre« (erfunden von von Elzie Crisler Segar, Erstveröffentlichung am 19.12.1919), taucht darin jedoch erst 1929 auf.

Popeye kämpfte sich mit Charisma zur Hauptrolle: mit Coolness, Schlauheit – und Spinat. Aufbrausend, komisch, boxend, nuschelnd.

Lachend erschleicht er sich das Herz seiner ewigen Freundin, der spindeldürren, kreischenden Olivia Öl, die heimlich schon immer in den tätowierten Typen mit der Kartoffelnase verknallt war.

Popeye ist auch ein Träumer. Er entdeckte, daß die dunklen Flecken auf dem Mars in Wahrheit riesige Spinatplantagen sind.

Popeye wurde zur Pop-Ikone. Der Kurator einer Popeye-Ausstellung in New York: »Es gibt wenige Kunstfiguren, die so alt und trotzdem noch so bekannt sind wie Popeye.«

Cartoonist Elzie Crisler Segar erfand Popeye 1929

Popeyes Erfolg (er wurde übrigens in einem Taifun vor Santa Monica geboren) steigerte in den USA den Kinder-Konsum von Spinat um 30 Prozent.

Lassen Sie sich verzaubern von dem Retro-Kult-Comic »Popeye« (als Hollywood-Film mit Robin Williams).

Steckt nicht in jedem von uns ein kleiner Popeye?

– Norbert Körzdörfer

5

ICH HAB' DEINEN RAT BEFOLGT UND 'NEN TERMIN BEIM ARBEITSAMT GEMACHT!

BIN GERADE AUF DEM WEG!

DA SIE NOCH NIE ERWERBSTÄTIG WAREN, IST ES SEHR SCHWER, EINE POSITION FÜR EINEN MANN IHRES ALTERS ZU FINDEN!

DA SIE NICHT UM-ZIEHEN WOLLEN, MUSSTE ICH 200 FIRMEN IM UMKREIS ANRUFEN...

UND DIE MEISTEN ARBEITGEBER VER-LANGEN SOGAR VON JÜNGEREN BE-WERBERN ER-FAHRUNG...

...ABER NACH MONATELAN-GER SUCHE HABE ICH END-LICH EINEN GEFUNDEN!

DIESE FIRMA SCHULT EINEN EHRLICHEN UND ZUVERLÄSSI-GEN BEWERBER, DAS ALTER SPIELT KEINE ROLLE!

IHR ANFANGS-LOHN BE-TRÄGT 2.100!

WAS HALTEN SIE DAVON?

...UND DANN HAST DU NACH DEM URLAUB, DEN SONDERZUSCHLÄGEN, DER GEWINNBETEILIGUNG UND DER ZUSATZRENTE GEFRAGT?

POPEYE! WEISST DU SCHON DAS NEUSTE?

WAS DENN?

WIMPY HAT EINEN JOB!

WO STECKT WIMPY EIGENTLICH?

ER WAR VOR 'NER STUNDE HIER!

ER HAT GESAGT, ER HAT ENDLICH DEN RICHTIGEN JOB GEFUNDEN!

BOHN MIT SPEC 6,50

Distr. by Bulls

ER HÄTTE ALLES, WAS ER WOLLTE...

...ARBEIT IM FREIEN... SEIN EIGENER HERR... FLEXIBLE ARBEITSZEITEN...

Hy EISMAN 16-8

...UND ER KÖNNTE SEINE ERFAHRUNG EINSETZEN!

WOW! WAS FÜR'N JOB IST DAS?

ER SAGT, ER WÄRE EIN FREIER RECYCLING-BERATER!

WAS IST DAMIT?

DIE IST AUS HEINIS PILSSTUBE UND BRINGT 20 ROTE!

14

ICH HABE MIR GEDACHT...

RAUBEIN, ALTER FREUND...

...DIE WELT VER-ÄNDERT SICH SO SCHNELL...

13

WIR WAREN AUF DEM MOND UND ERFORSCHEN DIE GREN-ZEN DES UNIVERSUMS.

DER MENSCH KANN HEUTE ORGANE VERPFLAN-ZEN UND SÄUGETIERE KLONEN...

EIN NEUES JAHRTAUSEND NÄ-HERT SICH...ES GIBT NEUE HOFFNUNG...EIN NEUER ANFANG... KÖNNTEST DU VIELLEICHT...

NEIN.

NEIN?

NEIN!

FÜR EINEN HAMBUR-GER MUSST DU IM-MER NOCH ZAHLEN!

ICH DARF DOCH WOHL TRÄUMEN?

23

DAS PASSIERT MIR JEDES MAL...

WIESO IST DAS SO SCHWIERIG?

18

JEDESMAL DAS GLEICHE DILEMMA...

DA SITZE ICH.. HABE 24 DIPLOME....

...MEIN LEBENSSTIL FORDERT SCHNELLES DENKEN...

...DER HÖCHSTE JE FESTGESTELLTE IQ!

WAS SOLL DAS ALSO?

WIESO HABE ICH DIESES PROBLEM?

DIESE KLEINEN ENTSCHEIDUNGEN SIND SCHWIERIGER ALS DIE GROSSEN!

ALSO WAS JETZT...

...MIT ODER OHNE ZWIEBELN?

HY EISMAN 9-21

28

HAST DU DAS MOTORRAD IN DIE GARAGE BEKOMMEN?

KLAR IST ES IN DER GARAGE!

DA WAR 'NE MENGE KRACH...

...ICH DACHTE, DU HAST VIELLEICHT PROBLEME!

ES WAR GAR KEIN PROBLEM!

ICH BIN ERLEICHTERT!

DIE GARAGE HÄNGT JETZT NUR NICHT MEHR AM HAUS!

31

33

ICH SCHREIBE EIN KOCHBUCH, RAUBEIN!

WO IST DER HAKEN?

30

KEIN HAKEN! DIE ERWÄHNUNG IN EINEM KOCHBUCH KANN DEINEM CAFE WUNDER TUN!

JEDER CAFEBESITZER, DER EIN REZEPT BEISTEUERT, WIRD IN MEINEM KOCHBUCH EHRENVOLL ERWÄHNT!

WIRKLICH?

WIE OFT KANN ICH ERWÄHNT WERDEN?

EINMAL FÜR JEDEN BEITRAG!

ES IST NATÜRLICH NOTWENDIG, JEDES ESSEN ZU KOSTEN, BEVOR ICH ES IN MEIN KOCHBUCH AUFNEHME!

HY EISMAN

12-14

ICH WETTE, ICH KENNE DEN BUCHTITEL!

DIE WETTE GILT!

"101 HAMBURGERVARIATIONEN"!

ER WEISS NICHT, DASS ER DIE WETTE VERLOREN HAT... ES HEISST "1001 HAMBURGERVARIATIONEN"!

POPEYE... ES FÄNGT AN ZU SCHNEIEN!

DU MUSST DIR KEINE SORGEN MACHEN, POPI!

ES SCHNEIT JETZT STÄRKER UND ES GIBT SCHEEWEHEN!

UND UNSER ARMER HUND FRIERT DRAUSSEN ANGEKETTET AN SEINE HUNDE-HÜTTE!

DU WEISST DOCH, DASS HUNDE VON WÖLFEN ABSTAMMEN...

BEI MINUSGRADEN LIEGEN WÖLFE IM SCHNEE, DEN RÜCKEN IM WIND...

...UND BEDECKEN DAS GESICHT MIT IHREM BUSCHIGEN SCHWANZ...

...HUNDE WISSEN ALSO INSTIKTIV, WAS SIE IM SCHNEESTURM TUN MÜSSEN!

OH...DU SCHON WIEDER!

33

ZUM HUNDERTSTEN MAL, BRUTUS. ICH GEHE NICHT MIT DIR AUS!

DU DENKST, ICH BIN NICHT DER SCHLAUSTE....

NUN JA....

...DU SCHEINST EBEN NICHT ALLE TASSEN BEIEINANDER ZU HABEN!

NUN, DA LIEGST DU FALSCH, OLIVE.

HY EISMAN 1-4

...ALS ICH NOCH ZUR SCHULE GING, SCHRIEB ICH NUR EINSEN!

DAS IST SCHWER ZU GLAUBEN!

'HAB' ICH ABER.

GLATTE EINSEN, WÄHREND DER GANZEN ZEIT...

...DIE ANDEREN ZAHLEN WAREN IMMER GANZ KRUMM!

SLAM

42

ICH FÜHLE MICH IMMER MIES, WENN ICH SO HERUMLIEGE!

BESONDERS HEUTZUTAGE!

...ES GIBT SO VIELE PROBLEME AUF DER WELT, UM DIE MAN SICH KÜMMERN MUSS...

...ICH KÖNNTE ALS AKTIVIST IN EINEM BEREICH TÄTIG WERDEN...

HY EISMAN 2-15

DA IST DIE UMWELTVER-SCHMUTZUNG... GLOBALE ER-WÄRMUNG...TIER-SCHUTZ....

STATTDESSEN LIEGE ICH AUF DER FAULEN HAUT UND SCHÜTZE MEINE BEQUEMLICHKEIT.

WENIGSTENS EMPFINDE ICH TIEFE SCHULDGE-FÜHLE DESWEGEN...

...SONST KÖNNTE ICH ES AUCH NICHT MIT MIR AUS-HALTEN!

47

48

ICH BEWERBE MICH BEI DER STADT-VERWALTUNG!

UM WELCHEN POSTEN?

43

MÜLL-SORTIER-INGENIEUR!

KANNST DU MIR BEIM BEWERBUNGSFORMULAR HELFEN?

NATÜRLICH!

Distr. Bulls

OKAY... ZUERST DEINEN VOR- UND ZUNAMEN?

BRUTUS!

ICH WEISS, DASS DU BRUTUS HEISST...ABER DIE WOLLEN AUCH DEINEN ZUNAMEN!

ICH HEISSE NUR BRUTUS!

WIESO HABEN DEINE VORNA-MEN AUFGEHÖRT...HABEN SIE DIR NICHT IHREN ZUNAMEN GEGEBEN?

SIE HABEN MIR IHREN ZUNAMEN NIE GESAGT!

WIESO NICHT?

...SIE WOLLTEN NICHT AUFGE-SPÜRT WERDEN!

HY EISMAN 3-15

50

DU BRAUCHST MICH HEUTE NICHT ANZUPUMPEN...

WIRKLICH? WIESO NICHT?

ICH MÖCHTE DICH ÜBERRASCHEN...

45

ICH LADE DICH ZUM ABENDESSEN EIN, WEIL DU DICH SO NETT UM POPY KÜMMERST!

DANKE, ALTER FREUND!

MENÜ

ICH VERSUCHE IMMER, DEN BURSCHEN ZU ERZIEHEN... FREMDE MIT RESPEKT ZU BEHANDELN...

WUNDERBAR!

...DINGE ZU ESSEN, DIE VIELE NÄHRSTOFFE HABEN!

DAS IST TOLL!

ICH ERWÄHNE AUCH IMMER, WIE WICHTIG ES IST, SCHULDEN ZU BEZAHLEN...

SEHR WICHTIG!

...WENN WIR ZUSAMMEN ESSEN, ERLAUBE ICH DEM BURSCHEN, DIE RECHNUNG ZU BEZAHLEN!

HY EISMAN
3-29

51

ICH SAGE ES BESSER, BEVOR ER ES SIEHT...

48

...ODER ICH WARTE, BIS ER ES SIEHT UND TUE SO, ALS HÄTTE ICH ES NICHT BEMERKT...

HALLO, JUNGE... ICH MUSS DIR WAS SAGEN...

WARTE, MAMA...

...DAS WAR BIS JETZT EIN LAUSIGER TAG, TUST DU MIR ALSO BITTE EINEN GEFALLEN?

SICHER, SOHN, WAS SOLL ICH MACHEN?

KEINE SCHLECHTEN NACHRICHTEN...

...ICH WILL NUR GUTE HÖREN!

Distr. by Bulls

GUTE IDEE, JUNGE!

ICH BIN HEUTE MIT DEINEM MO- TORRAD IN DEN SUPERMARKT GEFAHREN....

...UND DAS HIN- TERE SCHUTZ- BLECH IST NOCH SO GUT WIE NEU!

HY EISMAN 4-19

ICH KOMME, UM LEBEWOHL ZU SAGEN!

WOHIN GEHST DU?

52

ZUR ANDEREN SEITE DER STADT!

ICH ESSE AB JETZT IN DEM NEUEN LADEN AUF DER POSTSTRASSE!

DU WIRST MIR NICHT FEHLEN!

ES GIBT DORT EINEN EXELLENTEN HAMBURGER!

WIRKLICH? WAS MACHT IHN SO EXZELLENT?

SIE NEHMEN SEHR DÜNN GESCHNITTENE ZWIEBELN, RINDERHACK UND TOMATE....

ICH AUCH!

EINE SENF-MAYO-MERRETTICH-SAUCE...

HAB' ICH ALLES HIER!

...EINEN SCHUSS BARBEQUE-SAUCE!

KEIN PROBLEM...

...PROBIER' MAL!

DEINER IST EINDEUTIG SO GUT WIE DER ANDERE!

WIESO FÜHLE ICH MICH NUR SO REINGELEGT?

HY EISMAN 15-17

58

DU SIEHST JETZT SCHON SEIT STUNDEN IN DIE GLOTZE...

...DU KANNST MIT DEINER ZEIT VIEL BESSERE DINGE ANFANGEN...

...FERNSEHEN IST SO EIN SINNLOSER ZEITVERTREIB!

JETZT WO DU TROMPETENUNTERRICHT HAST, SOLLTEST DU JEDEN TAG ÜBEN...

...IST DAS NICHT EINE VIEL BESSERE IDEE?

WENN DU EINES TAGES EIN BERÜHMTER MUSIKER BIST, WIRST DU MIR DAFÜR DANKBAR SEIN!

54

DU SCHEINST IN GEDANKEN VERSUNKEN.

ICH DENKE ÜBER DIE ÖKOLOGIE NACH, MISS OLIVE!

RAUHBEINS KÜCHE KEIN ZUTRITT

IRGENDWIE HABE ICH DAS GEFÜHL, ICH SOLLTE ETWAS GEGEN DIE UMWELTVERSCHMUT-ZUNG UNTERNEHMEN.

ANSTATT NUR DARÜBER ZU REDEN...

...WÜRDE ICH VIEL LIEBER MIT BEIDEN HÄNDEN ANPACKEN!

DEM PLANETEN HEL-FEN, DIE UNORDNUNG ZU BESEITIGEN, DIE DER MENSCH HINTER-LIESS!

HE, WIMPY! KANNST DU MIR MAL HELFEN?

NUN JA...ES IST EIN ANFANG!

EIGENTLICH HATTE ICH ETWAS GLO-BALERES IM SINN.

HY EISMAN 5-31

60

WEISST DU, WIMPY... WENN ICH DIE STERNE SEHE, FRAGE ICH MICH...

...WIE SIND SIE DORTHIN GE-KOMMEN?

ICH BIN ÜBERRASCHT... DAS SIND HOCHTRA-BENDE GEDANKEN.

56

ICH WEISS, DIE MEN-SCHEN DENKEN, ICH SEI OBERFLÄCHLICH...

...NUR EIN GROSSER DUMMKOPF!

ABER ICH HABE TIEFSCHÜRFENDE GEDANKEN...

...UND FRAGEN!

WIE..."WOHER KOMMEN WIR?"

"WIESO SIND WIR HIER?"

"WOHIN GEHEN WIR?"

"WAS HAT DAS ALLES ZU BE-DEUTEN?"

...UND WIESO DU POPEYE NICHT ZU BREI SCHLAGEN KANNST?

DAS AM ALLER-MEISTEN!

6-14

WO IST WIMPY?

ER IST IN NORTH DAKOTA ZUR BEERDIGUNG SEINES ONKELS.

DAS MUSS DER REICHE ONKEL SEIN, VON DEM ER IMMER ERZÄHLT!

57

WIE LANGE MÖCHTEN SIE BLEIBEN?

EINE NACHT!

ABER ZUERST MÖCHTE ICH WISSEN, OB ES HIER SAUBER IST!

SAUBER IST UNSER ZWEITER VORNAME!

IST DAS BADEZIMMER HYGIENISCH?

WIRD TÄG-LICH GE-PUTZT!

BETTWÄSCHE, MATRATZEN UND BEZÜGE...

...WERDEN FÜR JEDEN GAST GEWECHSELT!

TEPPICHE?

GRÜNDLICHST GESAUGT...

...DAS MACHT 60 DOLLAR!

SIE HABEN ZIMMER 5...

HIER DER SCHLÜS-SEL...

...FLIEGENPAT-SCHE UND MAUSEFALLE!

6-21

63

DA HOL' MICH DOCH...! STEIGT WIMPY DA GERADE AUS EINEM TAXI?

?

DAS KANN ICH NICHT GLAUBEN!

DU? IM TAXI?

LAUFEN IST EIN RELIKT AUS DER VERGANGENHEIT, SEIT ICH EINE STATTLICHE SUMME VON MEINEM ONKEL LEO IN NORD-DAKOTA GEERBT HABE!

WIE WÄR'S MIT EINEM HAMBURGER DELUXE?

ICH NEHME LIEBER DIE STEAKPLATTE NACH ART DES HAUSES!

MENU

HMM! DU HAST DICH SELBST ÜBERTROFFEN MEIN FREUND!

FREUT MICH! HIER IST DIE RECHNUNG!

MOMENT! WAS SOLL DER SCHULDSCHEIN?

ICH HABE LEIDER DIE GANZE ERBSCHAFT FÜR DIE TAXIFAHRT VON NORD-DAKOTA VERBRAUCHT!

ICH HOFFE DU BEMERKST, WIE SEHR DAS UNSERE BEZIEHUNG BELASTET!

64

ZEIT ZUM MITTAG-ESSEN!

62

ZUMINDEST MEINT DAS MEIN MAGEN!

SCHWER ZU SAGEN, WO MAN IN EINER FREMDEN STADT ESSEN SOLL!

HABEN SIE AUCH EIN DIÄT-MENÜ?

NATÜRLICH! EIN DOPPEL-TER CHEESEBURGER...POM-MES UND EIN SCHOKO-MILCHSHAKE!

WOW! UND DAS SOLL DIÄTKOST SEIN?

NEIN, DAS NICHT...

...ABER SIE KÖNNEN VOR DEM ESSEN EINEN APPETITZÜGLER BE-KOMMEN!

IST DAS IRGENDEINE PILLE?

MEINE GÜTE NEIN...

...WIR LAS-SEN SIE NUR EINEN BLICK IN DIE KÜCHE WER-FEN!

HY EISMAN 17-26

68

HATTE 'NEN SCHWEREN TAG... HAU MICH GLEICH HIN!

GUT' NACHT!

64

70

ES GIBT NOCH ANDERE FISCHE IM MEER, BRUTUS!

67

ICH WEISS... ABER DU BIST DER FISCH, DEN ICH WILL!

MAN TRIFFT NICHT OFT EINEN MENSCHEN DER NETT UND LIEBENSWERT IST...

...KNUDDELIG UND HUMORVOLL...

JEMAND MIT DEM DU ZUSAMMEN SEIN MÖCHTEST... JEMAND DEN DU MAGST!

EINE PERSON, DIE ALL DEINE PHANTASIEN ERFÜLLT.

JEMANDEN DEN DU LIEBST UND BEWUNDERST.

ABER GENUG VON MIR... ...REDEN WIR ÜBER DICH!

HY EISMAN 8-30

73

DER DRANG ZUR BEFOLGUNG EINES URINS-
TINKTS MANIFESTIERT SICH PLÖTZLICH IN
CHESTER...

DAS PRIMITIVE JAGEN DES "CANIS LUPUS"
ERNEUERT SICH, ALS DAS RASCHELN
VON BLÄTTERN SEINE OHREN STREIFT...

...LANGSAM ABER STETIG PIRSCHT
SICH CHESTER AN SEINE BEUTE
HERAN...

...JEDER MUSKEL SEINEN STARKEN KÖRPERS
ZITTERT, ALS ER SICH VORSICHTIG EINEM
SÄUGETIER NÄHERT, DASS GERADE SEINE
BEUTE VERSCHLINGT...

...ER SPRINGT!

DER ERFOLGREICHE
JÄGER BEGINNT, SEINEN
PREIS ZU GENIESSEN...

DOCH...

SPUCK

...AUCH GENERATIONEN DER HÄUSLICHEN HAL-
TUNG HABEN DIESEM FLEISCHFRESSER KEINEN
GESCHMACK FÜR SPINAT BEIBRINGEN KÖNNEN!

79

82

ICH HASSE GEWALT, BRUTUS, ABER ZU ZWINGST MICH DAZU!

NA DANN...

...ZURÜCK ZUR ALTEN STRATE- GIE...

ICH GEBE AUF, ICH BIN EIN VER- LIERER!

VERLIERER? WIE KOMMST DU DARAUF!

79

JEDES MAL MACHT MICH POPEYE FERTIG!

DESHALB BIST DU KEIN VER- LIERER!

WIE WÜR- DEST **DU** ES NENNEN?

FEHLEIN- SCHÄTZUNG...

...DAS TRIFFT EHER ZU!

DOCH GLAUBE MIR, BRUTUS, EINS BIST DU SICHER **NICHT**!

...UND ZWAR EIN VERLIERER!

IM GEGENTEIL!

...DU BIST BEEINDRUCKEND...

...JEDER FRAGT SICH, WIE DU NACH SO VIELEN NIE- DERLAGEN WOCHE FÜR WOCHE WIEDERKOMMEN KANNST!

STÖHN

85

92

SIEH DIR DIESE KLAMOTTEN AN!

WAS IST DAMIT?

DIE SEHEN DOCH OKAY AUS!

103

ICH GLAUBE, ICH BRAUCHE WAS NEUES!

WIESO?

DIE HIER SIND ALT UND SCHÄBIG!

DA KENN' ICH MICH NICHT AUS!

AUSSERDEM MUSS MAN MIT DER MODE GEHEN!

WELCHE MODE?

HY EISMAN 5-2

MAN BLEIBT JUNG, WENN MAN SICH JUNG KLEI-DET UND JUNG DENKT!

WENN WIR GÄSTE HABEN, GLAUBEN SIE NOCH, ICH WÄRE DIE KÖCHIN!

KEINE SORGE...

SIE ÄNDERN IHRE MEINUNG, SOBALD SIE DEIN ESSEN PROBIERT HABEN!

ICH ZAHLE DIR DEN HAMBURGER AM DIENSTAG!

NUR BARES IST WAHRES!

104

KEIN WUNDER, DASS DU NIE GEHEIRATET HAST, DU BIST EIN WRACK!

DA MUSS ICH WIDERSPRECHEN!

...FRAUEN FINDEN MÄNNER WIE MICH ATTRAKTIV!

WIE DAS?

SIE MÖGEN MÄNNER DIE FREI VON FRÜHEREN EHEN SIND!

FREI VON KINDERN...

...FREI VON ALIMENTEN...

...FREI VON LÄSTIGEM GEPÄCK...

...UND ICH HABE EINEN WEITEREN VORTEIL, ICH BIN FREI VON JEDEM ERFOLG!

www.kingfeatures.com

6-13

AHOI, OMA...

...ICH WOLLTE ANGELN...KANN PAPI MITKOMMEN?

HEUTE NICHT, JUNGE...

106

WIESO KANN ER DENN NICHT MITKOMMEN?

SEIN ARZT HAT IHM EIN UMFANGREICHES TRAININGSPROGRAMM VERORDNET...

...ER HAT EIN STUDIO ODER VIDEO VORGESCHLAGEN!

WAS HAT ER AUSGESUCHT?

ER VERSUCHT ES MIT VIDEOS...

HÖRT SICH GUT AN!

HY EISMAN 6-27

www.kingfeatures.com

UND? WIE LÄUFT'S?

WEISS ICH NOCH NICHT...

...ER SITZT SCHON SEIT VIER TAGEN GANZ LEBHAFT DAVOR!

www.kingfeatures.com

107

www.kingfeatures.com

109

113

www.kingfeatures.com

110

111

112

DIE MEISTEN MEN-SCHEN WISSEN NICHT, WIE SIE MIR BEGEG-NEN SOLLEN...

...MEISTENS IGNORIEREN SIE MICH!

DA BIST DU SELBST SCHULD!

117

ICH ERFAHRE NIE SOLCHEN RESPEKT WIE DU!

JA, WEIL DU DICH NICHT RICHTIG VERHÄLTST!

ES LIEGT WAHR-SCHEINLICH NUR AN DEINER UNIFORM!

DAS STIMMT NICHT!

...ES LIEGT AN MEINEM CHARISMA!

DAS BEZWEIFELE ICH!

...ICH ERLANGE DEN GLEICHEN RESPEKT MIT DEINEN KLA-MOTTEN!

DAS GLAUBE ICH EINFACH NICHT!

LASS UNS DOCH DIE KLEIDER TAUSCHEN!

HE! WEISS EINER VON EUCH CLOWNS, WO ICH EINEN TYP NAMES POPEYE FINDEN KANN?!!

114

MACHST DU KEIN ABENDESSEN?

SOBALD DAS FERTIG IST!

IST MEINE LIEBLINGS-SOAP...

..."ALLES HAT EIN ENDE"...

118

WORUM GEHT'S IN DEINER SOAP?

DAS IST DANIEL UND SEINE FRAU TINA. IHRE MUSCHELSUPPE LÖSTE BEI IHM EINE AMNESIE AUS...

...ER VERLIEBTE SICH IN TINAS GROSSMUTTER... EINE ÄRZTIN, DIE VON DANIELS VATER VERKLAGT WIRD...

...WEIL ER BEI SEINER TRANSPLANTATION DAS FALSCHE GEHIRN BEKAM...

DANIELS VATER WURDE VON RALF GESCHLAGEN...EINEM ARCHITEKTEN, DESSEN UNTERWASSERTUNNEL ZUSAMMENBRACH...

...WOBEI DANIELS ONKEL GERT ERTRANK...

HY EISMAN

8-15

...DER IN DANIELS EXFRAU FRANKA VERLIEBT WAR...

...DIE DEN TUNNEL-EINSTURZ VERURSACHTE...

...WEIL SIE DIE STAHLTRÄGER GESTOHLEN HAT...

...WEGEN IHRER SELTENEN KRANKHEIT AUCH BEKANNT ALS METALLURGISCHE KLEPTOMANIE!

DESHALB MAG ICH SOAPS...

...ES IST WIE IM RICHTIGEN LEBEN!

FRÜH UM SECHS AUF-STEHEN...

DEHNUNGSÜBUN-GEN MACHEN...

120

...UND MEIN ARZT SAGTE NOCH... WENN ICH TÄG-LICH MEINE VITA-MINE NEHME...

...VIEL WASSER TRINKE...

...HAMPEL-MÄNNER MACHE...

...UND TÄGLICH LIEGESTÜTZ MACHE...

...DANACH ETWAS JOGGE...

...UND ZWEI RIESIGE CHEESEBURGER MIT ALLEM DRUM UND DRAN ESSE...

...WÄRE MEINE GESUNDHEIT PERFEKT!

VON DEN HAM-BURGERN HAT ER EIGENTLICH NICHTS GESAGT...

...ABER WER WILL SCHON PERFEKT SEIN?

RÜLPS

HY EISMAN 19-5

117

ICH MUSS REDEN UND REDEN UND GEHEN UND GEHEN!

DAS NEUE "ICH" IST DA!

121

AHOI, WIMPY!

MEIN NAME IST NICHT MEHR WIMPY SONDERN **MONGO**!

MONGO?

JA...ICH HABE ENDLICH ERKANNT, DASS MAN EINE EINDRUCKSVOLLE VERPACKUNG BRAUCHT, UM IM SUPER-MARKT DES LEBENS ERFOLGREICH ZU SEIN!

ICH HABE FESTGESTELLT, DASS MAN NIE JEMANDEN MIT DEM NAMEN MONGO HERUM SCHUB-SEN WÜRDE!

DA KOMMT OPA...

...ICH ZEIGE DIR, WAS EINE STARKE MARKE ERREICHEN KANN!

HE, SEEHUND! VIELLEICHT KENNST DU MEINEN NEUEN NAMEN NOCH NICHT... MONGO...

...ALSO SIEH DICH VOR!

LEIDER MUSS ICH FESTSTEL-LEN, DASS ES NICHT REICHT, DIE VERPACKUNG ZU ÄNDERN OHNE DEN INHALT ZU ÄNDERN!

118

AHOI, RAUH-BEIN!

123

OPA, ALTES HAUS...

...WAS BRINGT DICH HER?

CHILI $1.-

OMA IST WEG-GEFAHREN...

WAS KANN ICH FÜR DICH TUN?

EINEN HAMBURGER MIT ALLEM DRUM UND DRAN!

OKAY.

CHILI $1.-

UND NIMM EIN ALTES BRÖTCHEN...TOASTE ES SO LANGE, DASS DU DAS VERBRANNTE ABKRATZEN MUSST...

...BRATE DAS FLEISCH IN VIEL FETT, BIS ES SCHWARZ IST...

...DANN LEGST DU VERWELKTEN SALAT DRAUF, GLITSCHIGE TOMATEN UND MACHST SO VIEL KETCHUP UND SENF DRAUF, DASS ES BEIM REINBEIS-SEN RAUSQUILLT!

WIESO WILLST DU IHN SO ESSEN?

HY EISMAN 8-29

ICH VERMISSE OMAS KOCH-KUNST!

www.kingfeatures.com

125

129

128

WAS FÜR EIN WUNDERBARER TAG!

ICH HAB KEINE ZEIT FÜR SCHMUS.

SAG MIR EINFACH, WAS DU WILLST.

LOS! WAS WILLST DU?

WAS ICH WILL?

WAS WILL EIN MANN HEUTZUTAGE?

EINEN BERUF, DER RUHM UND WOHLSTAND EINBRINGT, ...

... EINE SCHÖNE FRAU, DIE SICH AN IHN SCHMIEGT, AUF DER FAHRT AN DER AMALFI-KÜSTE IN SEINEM FERRARI

... ZU SEINER VILLA ÜBER DEM BLAUEN MITTELMEER, ...

... WO SEIN CHEFKOCH SCHON EINE FRITTATA FÜR ZWEI VORBEREITET.

O.K., WIMPY. WAS WILLST DU?

EINEN HAMBURGER MIT ALLEM!

POPEYE IST UNTER-
WEGS, UND WIMPY
LÄDT MICH
ZUM ESSEN EIN!

WAS
IST LOS?

HAB BEIM
RENNEN
GEWONNEN.

EIN MENÜ MIT DOPPELTEM
CHEESEBURGER, BITTE,
MIT EXTRA KÄSE ...

... VIEL MAJO UND SAUCE
AUF DEN POMMES.

EINEN VANILLE-
MILCHSHAKE ...

... UND EIN STÜCK
SCHOKOLADENSAHNE-
TORTE.

LIEBER
HIMMEL,
WIMPY ...

... DAS VERSTOPFT DIR
DOCH DIE ARTERIEN!

?

WAS IST MIT OBST
ODER GEMÜSE?

HM,
STIMMT.

ROUGH
HOUSE ...

... STATT DEM SCHOKOLA-
DENKUCHEN LIEBER EIN
STÜCK ZITRONENTORTE.

H EISMAN 12-19

JETZT REICHT'S, WIMPY...!

?

DAS WAR DAS LETZTE MAL...

ICH WILL KEINE RATSCHLÄGE MEHR VON DIR!

WAS FÜR EIN RATSCHLAG WAR DAS?

ALS ICH DIR VON MEINEN ERFAHRUNGEN MIT DER PARTNERVERMITTLUNG PER COMPUTER ERZÄHLT HAB...

...HAST DU GESAGT, ICH SOLL IHNEN NOCH EINE CHANCE GEBEN.

DAS HABE ICH GESAGT?

ALSO, ICH HABE ES GETAN, ...

...UND HABE UM JEMANDEN GEBETEN, DER DAS GEWISSE SUMMEN IN MEIN LEBEN BRINGT.

UND?

UND SIE HABEN MIR EINE ✪★Ⓖ✱⁄◊!! BIENENZÜCHTERIN GESCHICKT!

www.kingfeatures.com

HY GISMAN
11-28

IM VERGANGENEN JAHRHUNDERT...

JAN. **2** 2000

...SIND WIR AUF DEM MOND GELANDET...

...KONNTEN WIR ÜBERALL HIN FLIEGEN...

...KONNTEN NACHRICHTEN VON ÜBERALL HER SEHEN...

...KONNTEN SELBST UNTERWEGS TELEFONIEREN...

...UND KONNTEN SOGAR GEDRUCKTE NACHRICHTEN DURCHS TELEFON VERSCHICKEN.

COMPUTER ÜBERNEHMEN UNSEREN ALLTAG.

www.kingfeatures.com

BLOSS GEGEN KATER HABEN SIE NOCH NICHTS ERFUNDEN.

JAN. **2** 2000

HY EISMAN

1-2

135

ICH VERSUCHE WIRKLICH, DIE FINGER VON OLIVIA ZU LASSEN

GUTE ENTSCHEIDUNG, BRUTUS!

ALSO HABE ICH ES WIEDER GETAN.

WAS?

PARTNERVERMITTLUNG ÜBER COMPUTER!

FINDE ICH GUT.

OLIVIA WILL DICH JA DOCH NICHT; DU SOLLTEST ANDERE WEGE GEHEN.

DAS DACHTE ICH AUCH, VIELLEICHT HABE ICH BISHER ZU SEHR NACH TRAUMFRAUEN GEFRAGT.

WAS HEISST DAS?

NA, BLOND, BLAUE AUGEN, JEDE MENGE GLAMOUR.

UND JETZT?

JETZT PROBIERE ICH S BODENSTÄNDIGER.

UND?

SIE HABEN MIR EINE SCHLAMMRINGKÄMPFERIN GESCHICKT.

HY EISMAN 12-6

141

143

DAS SOLL BRUTUS BEIM TRAINING HELFEN.

ICH MUSS DIE ZUTATEN NOCH MAL CHECKEN.

MAL SEHEN...

...SCHLANGENSCHWÄNZE, EIDECHSENMÄGEN, RATTEN-HAAR, FLEDERMAUSFLÜGEL, GEFRIERGETROCKNETE LÄUSE UND FEUERAMEISEN.

HMM... NOCH EIN WENIG SALZ...

ICH HAB DIE FORMEL VERBESSERT.

WENN DU DAS ISST, BESIEGST DU NICHT NUR POPEYE, SONDERN DIE GANZE WELT.

DAS GEHT NICHT.

DAS SCHMECKT EKELHAFT.

MOMENT, KEINE AUF-REGUNG!

ICH HAB WAS VERGESSEN.

www.kingfeatures.com

HA! JETZT SCHMECKT ES!

WAS SO EIN BISS-CHEN HAMBURGER-SAUCE DOCH AUSMACHT.

145

147

148

ICH KÖNNTE EIN PFERD ESSEN.

PECH!

ICH KOCHE KEINE PFERDE!

PROBIER DAS MAL.

IST AUS EINEM ALTEN KOCHBUCH VOM FLOHMARKT.

SOWAS HAST DU NOCH NIE GEGESSEN.

SLURP

UND?

STIMMT ... SOWAS HABE ICH NOCH NIE GEGESSEN.

UND WENN ICH GLÜCK HABE, PASSIERT DAS AUCH NIE WIEDER.

151

SWEETHAVEN TV ...

IHR MANN AUF DER STRASSE: MIKE BROOKS ...

ER STELLT DIE FRAGEN, DIE UNS ALLE ANGEHEN.

MAN HAT FESTGESTELLT, DASS SICH VIELE MENSCHEN NICHT AN IHR ABENDESSEN VON GESTERN ERINNERN.

DAS GILT VOR ALLEM FÜR DIE ÄLTERE GENERATION.

HIER KOMMT EIN ÄLTERER HERR ...

WIR MACHEN DEN TEST.

SIR ... KÖNNEN SIE SICH ERINNERN, WAS SIE GESTERN ZUM ABENDESSEN GEGESSEN HABEN?

SICHER! MOMS SAHNESCHNITZEL AUF TOAST!

ERSTAUNLICH IN IHREM ALTER!

WIE HABEN SIE DAS GEMACHT?

WIE IMMER ... NASE ZUHALTEN UND RUNTER DAMIT!

⊙✕✿!!

MAN LERNT IMMER WAS, WENN MAN ETIKETTEN LIEST.

ZUM BEISPIEL, DASS GRIECHISCHER SALAT HIER GEMACHT WIRD.

WUSSTEST DU, DASS CHINESISCHES ESSEN NICHT AUS CHINA KOMMT.

... TÜRKISCHES ESSEN AUCH NICHT AUS DER TÜRKEI ...

... UND ENGLISCHE MUFFINS NICHT AUS ENGLAND?

UND WUSSTEST DU, DASS IN WELSH RABBIT GAR KEIN KANINCHEN DRIN IST?

UND DASS MOCKTURTLE-SUPPE KEIN SPASS IST?

WEISST DU, WARUM ICH SO GERN MIT DIR REDE, BRUTUS?

NEIN, WARUM?

DA KANN MEIN HIRN SCHÖN AUSRUHEN.

OH, DANKE, WIMPY.

Weltbild Buchverlag –Originalausgaben–
© 2005 Verlagsgruppe Weltbild GmbH
Steinerne Furt 67, 86167 Augsburg

Genehmigte Lizenzausgabe für Verlagsgruppe Weltbild, Augsburg
Copyright © 2005 by King Features Syndicate, Inc. / Distr. Bulls
TM Hearst Holdings, Inc.

Alle Rechte vorbehalten

Projektleitung BILD: Florian v. Heintze
Projektleitung Weltbild: Almut Seikel
Umschlaggestaltung: Veronika Illmer (BILD)
Abbildung Umschlagrückseite: Mit freundlicher Genehmigung
von King Features Syndicate
Foto Seite 5: Mit freundlicher Genehmigung
von King Features Syndicate
Satz: Andrea Göttler
Text Seite 129 bis 159 deutsch von Marie Henriksen
Repro: Typework Layoutsatz & Grafik GmbH, Augsburg
Druck und Bindung: TYPOS-Digital Print, spol. s r. o.,
Podnikatelská 1160/14, CZ-320 59 Plzen
Printed in Czech Republic

Gedruckt auf chlorfrei gebleichtem Papier

ISBN 3-89897-267-4